Méthode de françai

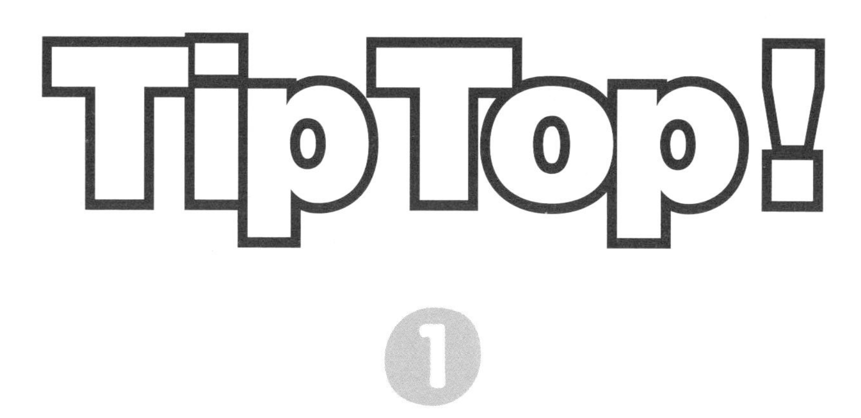

1

Catherine Adam

didier

Crédits photographiques : p. 9 www.asterix.com © 2010 LES EDITIONS ALBERT RENE / GOSCINNY-UDERZO ; **p. 9** – bd Catarina Eric/Gamma /Eyedea ; **p. 9** – bg Ronald Wittek/dpa/ Corbis ; **p. 9** – hd Stephane Reix/For Picture/Corbis ; **p. 9** – hg Collection ChristopheL ; **p. 18** – 12 Sébastien Montier - Fotolia.com ; **p. 18** – 13 Travis Manley - Fotolia.com ; **p. 18** – 16 cphoto - Fotolia. com ; **p. 18** – 18 Marek Kosmal - Fotolia.com ; **p. 18** – 19 Aurélia Galicher ; **p. 18** – 23 Aurélia Galicher ; **p. 18** – 3 Uncleasam - Fotolia.com ; **p. 18** – 9 Jakezc - Fotolia.com ; **p. 19** Richard Damoret/Réa ; **p. 20** Guy - Fotolia.com ; **p. 20** Nabil Biyahmadine - Fotolia.com ; **p. 20** Bruno Bernier - Fotolia.com ; **p. 20** 2006 James Steidl James Group Studio inc . - Fotolia.com ; **p. 20** Benoit Jouvelet - Fotolia.com ; **p. 20** André- Fotolia.com ; **p. 27** – bd Philip Gatward/Dorling Kinderseley/GettyImages ; **p. 27** – bg Aurélia Galicher ; **p. 27** – bm Jeffrey Coolidge/Iconica/GettyImages ; **p. 27** – hd William Andrew/ Photographer's Choice/GettyImages ; **p. 27** – hg Magalice - Fotolia.com ; **p. 34** Tatyana Parfyonova - Fotolia.com ; **p. 34** D. Amon/Photocuisine/corbis ; **p. 34** Victoria - Fotolia.com ; **p. 34** Melisback - Fotolia.com ; **p. 35** Michael Flippo - Fotolia.com ; **p. 35** Herreneck - Fotolia.com ; **p. 35** André - Fotolia. com ; **p. 35** Benoit Jouvelet - Fotolia.com ; **p. 44** LiquidImage - Fotolia.com ; **p. 44** Juan Mora ; **p. 44** Aurélia Galicher ; **p. 50** – 1 bilderbox - Fotolia.com ; **p. 50** – 10 Liz Van Steenburgh - Fotolia. com ; **p. 50** – 11 Laurent Rouvrais/Top/Eyedea ; **p. 50** – 12 J. Riou/Photocuisne/Corbis ; **p. 50** – 13 Mallet/Photocuisine/Corbis ; **p. 50** – 14 Stephanie Eckgold - Fotolia.com ; **p. 50** – 15 Dieterlen/ Photocuisine/Corbis ; **p. 50** – 16 Julian Rovagnati - Fotolia.com ; **p. 50** – 17 Birgit Reitz-Hofmann - Fotolia.com ; **p. 50** – 18 Paylessimages - Fotolia.com ; **p. 50** – 2 Maciej/Mamro - Fotolia.com **p. 50** – 3 Unknown/Olga Lyubkina - Fotolia.com ; **p. 51** – 4 Swetlana Wall - Fotolia.com ; **p. 51** – 5 Aurélia Galicher ; **p. 51** – 6 Eising/GettyImages ; **p. 51** – 7 picsfive - Fotolia.com ; **p. 51** – 8 Yana - Fotolia.com ; **p. 51** – 9 Chlorophylle - Fotolia.com.

Cette méthode s'est inspirée de la méthode « Copains, copines » publiée par les éditions Trait d'union - Grèce 2009.

éditions didier s'engagent pour l'environnement en réduisant l'empreinte carbone de leurs livres. Celle de cet exemplaire est de :
400 g éq. CO_2
Rendez-vous sur www.editionsdidier-durable.fr

Couverture et maquette intérieure : Massimo Miola
Illustration couverture : Sylvie Eder
Mise en page et photogravure : Anne-Danielle Naname et Tin Cuadra
Illustrations : Sylvie Eder et Lynda Corazza

Achevé d'imprimer par Loire Offset Titoulet en janvier 2013 – Dépôt légal : 6585/05

Bienvenue !

Bonjour !

Tu vas apprendre le français avec nous,
C'est super !
Tu vas voir, c'est sympa et on va t'aider !
Nous, on est à l'école dans la classe de
Madame Leroy. Elle est gentille et elle
encourage tout le monde.
On fait plein d'activités : on parle, on
chante, on joue, on lit, on écrit, on
jongle avec les sons, on découvre le
monde, on fait des ateliers tous ensemble
en français !
Et maintenant, on commence !

Camille

Noé

Wang

Djamila

Martin

Maé

Tableau

	C'est parti !
OBJECTIFS	• Identifier : – ce qu'on sait déjà de la France, la francophonie et des Français – ce que l'on connaît déjà en français • Comprendre pourquoi on apprend le français • Reconnaître le français parmi d'autres langues à l'oral et à l'écrit • Répéter l'alphabet et épeler des prénoms

	Unité 1 Dans la classe	Unité 2 Dans la cour	Unité 3 Pendant la semaine
COMMUNICATION	• Saluer • Se présenter • Dire et demander le nom de quelqu'un • Dire et demander comment ça va • Identifier un objet	• Demander et dire son âge • Compter jusqu'à 12 • Dire ce qu'on fait dans la cour de récréation • Proposer à quelqu'un de jouer avec soi	• Dire et demander ce qu'on aime ou pas • Faire des appréciations • Exprimer des sensations • Dire ce qu'on fait et mange à l'école chaque jour
GRAMMAIRE	• *Comment tu t'appelles ? Je m'appelle...* • *Qu'est-ce que c'est ?* • *C'est un/une* + nom • Les articles indéfinis *un/une* • Les pronoms personnels *je, tu*	• *Tu as quel âge ?* • *J'ai, tu as, il/elle a* + âge/nom • *À la récré, je joue...*	• *Qu'est-ce que tu aimes ?* • *J'aime, tu aimes, il/elle aime* • *Je n'aime pas, Je déteste, J'adore* • Les articles définis *le, la, l', les*
LEXIQUE	• *Bonjour/Au revoir* • Les affaires de classe • Les couleurs • Ça va (bien/très bien) !	• Les jeux de la récréation • Les nombres de 0 à 12	• Les jours de la semaine • Les matières scolaires • Quelques aliments
PHONÉTIQUE	• L'intonation (1) • Les sons [y]/[u]	Les liaisons	• Les sons [e]/[ə] • L'élision
CHANSON	*Chante en couleurs !*	*1, 2, 3 Compte avec moi !*	*J'aime l'école !*
JEU	Le jeu de l'Oie	Le jeu de la Récré	« Bon Appétit ! »
(INTER)CULTUREL	La classe en France	Les jeux du monde	Les spécialités culinaires françaises
ATELIER	La pochette de français	La boîte de jeux	L'emploi du temps de la classe
PORTFOLIO	J'apprends le français !	Je connais déjà des choses en français !	Je découvre mon école... en français !
DELF PRIM		Les consignes	Compréhension de l'oral (exercice 1)

des contenus

DÉCOUVERTES	• Des mots transparents • Quelques noms de pays, de nationalités et de langues • L'alphabet • Le monde francophone

Unité 4 Avec ma famille	Unité 5 Dans la cuisine	Unité 6 Après l'école
• Présenter sa famille et son animal • Exprimer l'appartenance • Décrire quelqu'un	• Dire et demander ce qu'on veut • Demander et répondre poliment • Donner un ordre	• Dire et demander ce qu'on fait après l'école • Compter jusqu'à 20 • Localiser (1)
• *Qui est-ce ?* • *C'est* + adjectif possessif • *Je suis, tu es, il/elle est, ils/elles sont* + nom/adjectif qualificatif • Les adjectifs qualificatifs et l'accord masculin/féminin • Les adjectifs possessifs *mon/ma/mes, ton/ta/tes, son/sa/ses*	• *Qu'est-ce que tu veux ?* • *Je veux, tu veux, il/elle veut* • *Du, de la, de l', des* • L'impératif : *Mange !, Viens !, Prends !*	• *Qu'est-ce que tu fais après l'école ? Je fais...* • Les verbes en *-er* à toutes les personnes • Les pronoms personnels *on, nous, vous, ils/elles* • La préposition *dans*
• Les membres de la famille • Les animaux • *Petit, grand, drôle, sympa* et *adorable*	• Les repas • Quelques aliments et boissons du petit déjeuner • Quelques expressions de quantité : *un bol de..., un verre de....* • *S'il te plaît* • *Avoir faim*	• Les pièces de la maison • Les verbes réguliers en *-er* : *regarder, écouter, jouer...* • Les nombres de 13 à 20
Les sons [ɔ̃]/[ɑ̃]	• L'intonation (2) • Les consonnes finales	• Les sons [ʃ]/[ʒ] • Les syllabes
Tu connais pas... ?	*J'ai pas faim !*	Calligramme : *Ma maison*
Le jeu des 7 familles	« Un bon petit déjeuner ! »	« Chez Alice »
La famille	Les petits déjeuners du monde	Les maisons du monde
L'album photos (en papier ou numérique)	Les roses des sables en chocolat	La maquette de la maison idéale
Je communique en français !	En français, s'il vous plaît !	Je sais beaucoup de choses en français !
Production orale (étape 1)	Compréhension des écrits (exercice 1)	Production écrite (exercice 1)

TipTop!

Comment ça marche ?

Pour savoir ce que tu dois faire :

Dans ta boîte à outils, tu trouves :

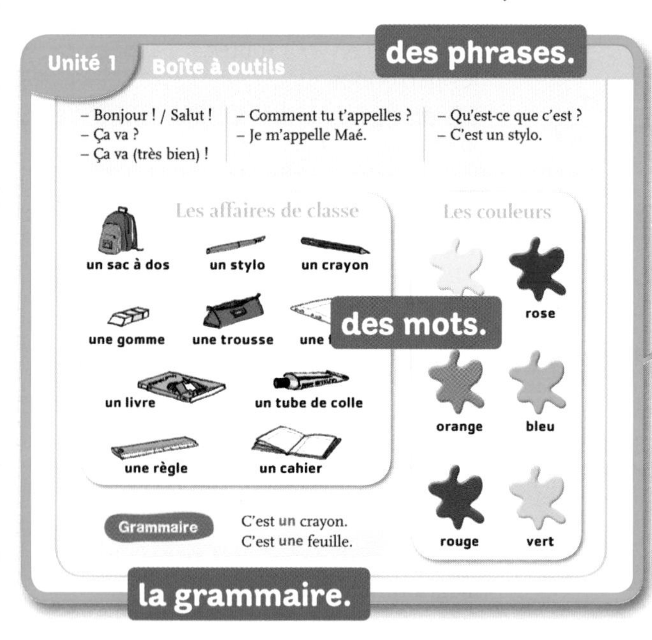

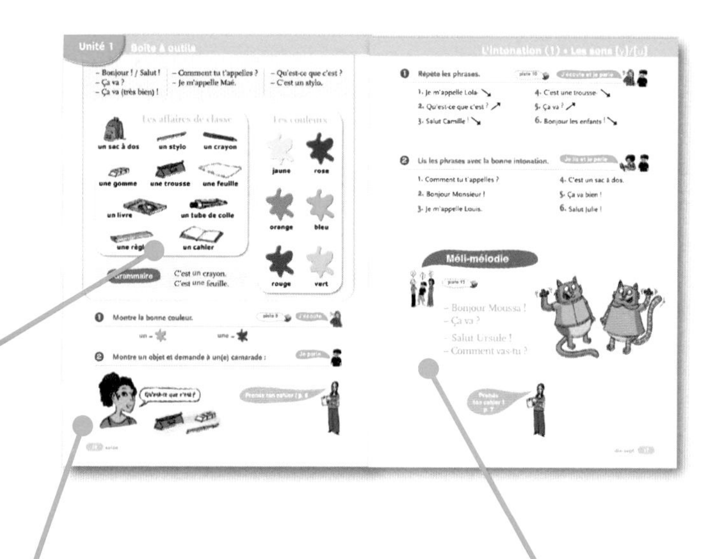

Tu utilises les outils :

Tu joues avec les sons :

Tu joues et tu fabriques :

Tu joues avec tes camarades.

Tu découvres la France/le monde.

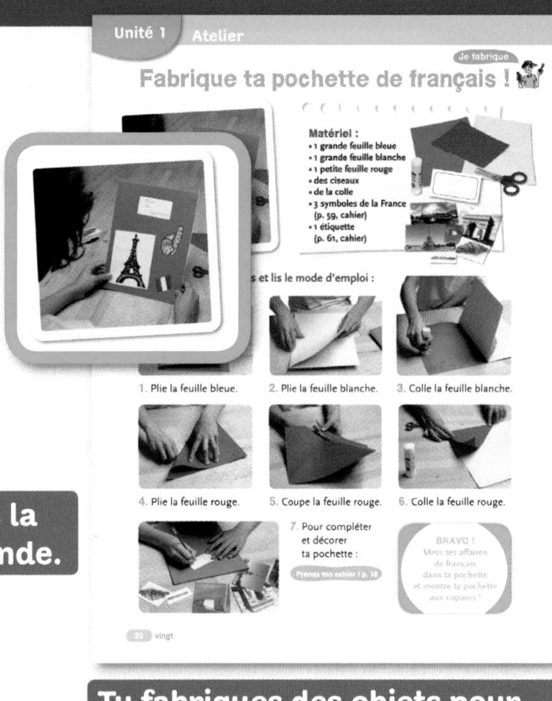

Tu fabriques des objets pour la classe avec tes camarades.

Dans ton cahier...

tu t'évalues.

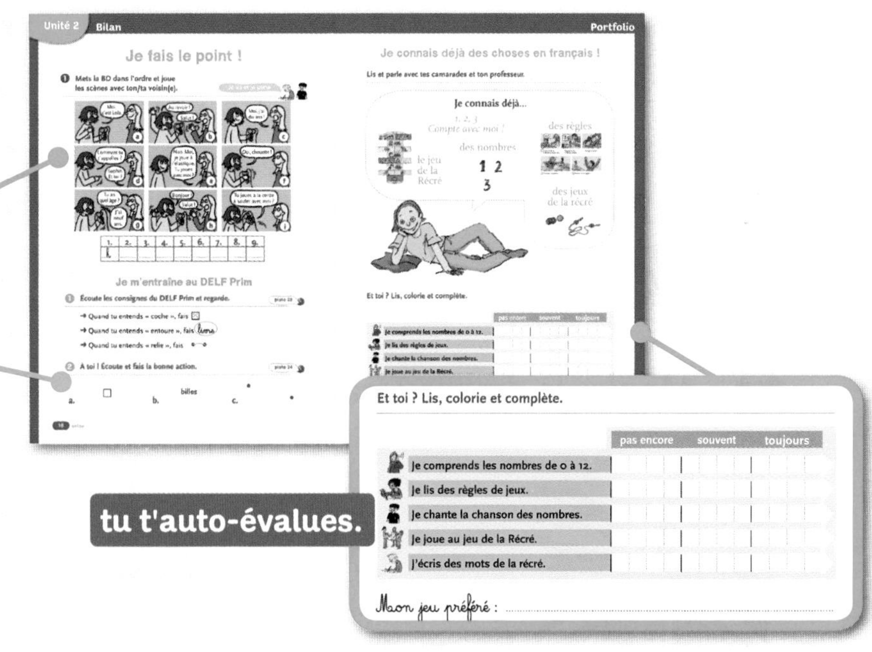

tu t'auto-évalues.

Et dans ton auto-dico...

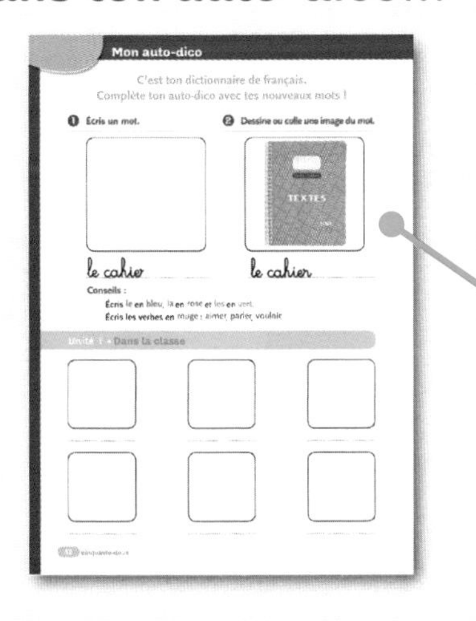

tu complètes avec tes mots !

C'est parti !

❶ Voici des pays où on parle français.

LE QUÉBEC

LA FRANCE

LA BELGIQUE

LA SUISSE

❷ Montre le drapeau français.

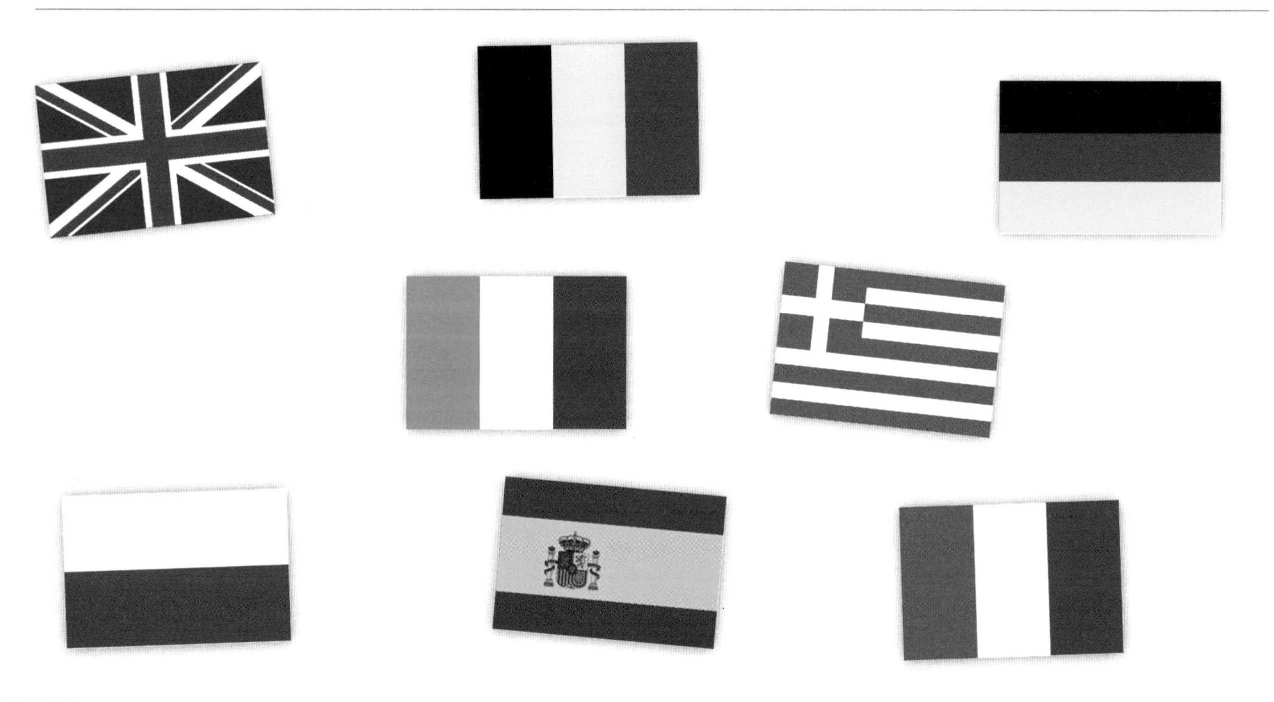

3 Qui est français ?

Astérix

Harry Potter

Tony Parker

Tokio Hotel

Vanessa Paradis

4 Trouve dans quelles langues ils chantent.

Guten Tag !

你好

Buenos días !

Buongiorno !

καλημέρα

صباح الخير

Hello !

Добрый день

Bonjour !

5 Regarde et dis les mots que tu connais.

1. une guitare

2. le football

3. un téléphone

4. un taxi

5. un café

6. Monsieur

7. un menu

8. un chocolat

9. Madame

❻ Regarde la carte de France.

7 Regarde l'alphabet.

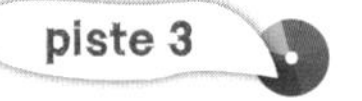

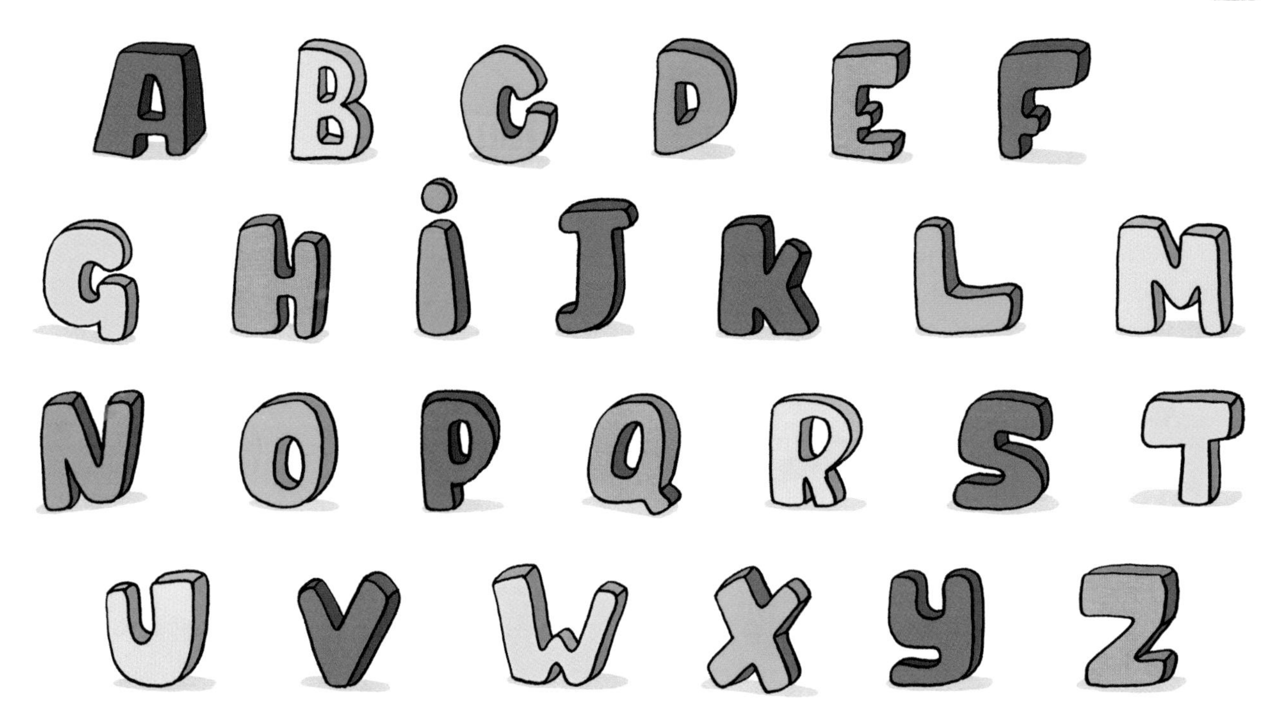

8 Épelle les prénoms.

J'écoute et je parle

1. 

MARTIN

2. 

NOÉ

3. 

CAMILLE

4. 

MAÉ

5. 

DJAMILA

6. WANG

Unité 1

Dans la classe

- Je dis bonjour et au revoir.
- Je dis comment je m'appelle.
- Je demande son nom à un copain.
- Je sais demander ce que c'est.
- Je connais les affaires de classe.
- Je connais des couleurs.
- Je joue au jeu de l'Oie.
- Je fabrique ma pochette de français.
- J'utilise mon portfolio.

Bonjour les enfants !

piste 5

J'écoute

① MADAME LEROY : – Bonjour les enfants ! Je m'appelle Claire Leroy.
LES ÉLÈVES : – Bonjour madame !

piste 6

J'écoute

② MAÉ : – Bonjour monsieur !
MONSIEUR MARTIN : – Comment tu t'appelles ?
MAÉ : – Je m'appelle Maé.
MONSIEUR MARTIN : – Bonjour Zoé.
MAÉ : – Non, moi c'est Maé !
MONSIEUR MARTIN : – Au revoir Maé !

piste 7

J'écoute

③ CAMILLE : – Salut Wang ! Ça va ?
WANG : – Salut Camille ! Oui, ça va très bien !
CAMILLE : – Salut Wang !
WANG : – Salut Camille !

❶ Montre le bon dessin.

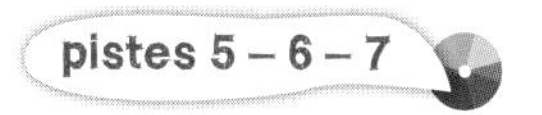

Chante en couleurs !

– Qu'est-ce que c'est ? Qu'est-ce que c'est ?
Un cahier bleu ? Un stylo rose ?
– Non, ça, c'est mon sac à dos **fluo** !

– Qu'est-ce que c'est ? Qu'est-ce que c'est ?
Une règle orange ? Une trousse rouge ?
– Non, ça, c'est mon sac à dos **fluo** !

– Qu'est-ce que c'est ? Qu'est-ce que c'est ?
Une gomme jaune ? Un livre vert ?
– Non, ça, c'est mon sac à dos **fluo** !

Boîte à outils

– Bonjour ! / Salut !
– Ça va ?
– Ça va (très bien) !

– Comment tu t'appelles ?
– Je m'appelle Maé.

– Qu'est-ce que c'est ?
– C'est un stylo.

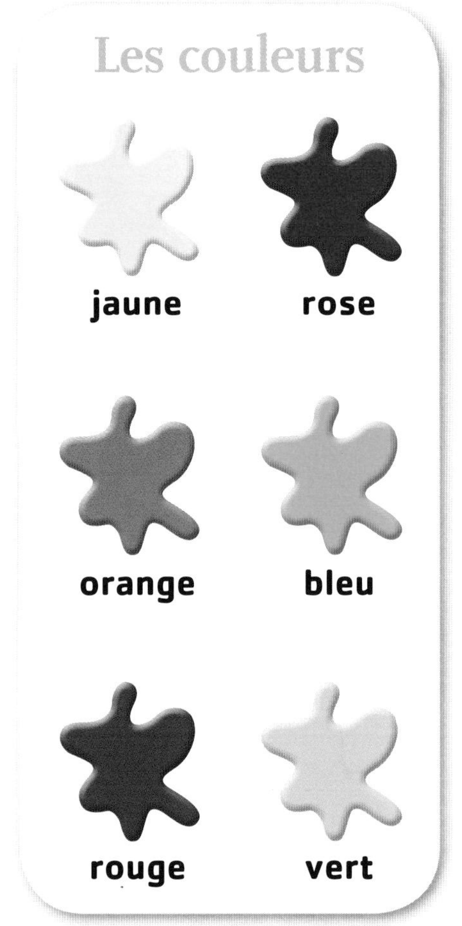

Grammaire C'est **un** crayon.
C'est **une** feuille.

1 Montre la bonne couleur.

un =

une = 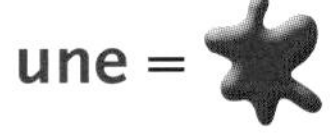

2 Montre un objet et demande à un(e) camarade :

Prends ton cahier ! p. 6

❶ Répète les phrases.

1. Je m'appelle Lola. ↘
2. Qu'est-ce que c'est ? ↗
3. Salut Camille ! ↘
4. C'est une trousse. ↘
5. Ça va ? ↗
6. Bonjour les enfants ! ↘

❷ Lis les phrases avec la bonne intonation.

1. Comment tu t'appelles ?
2. Bonjour Monsieur !
3. Je m'appelle Louis.
4. C'est un sac à dos.
5. Ça va bien !
6. Salut Julie !

Méli-mélodie

piste 11

– Bonjour Moussa !
– Ça va ?
– Salut Ursule !
– Comment vas-tu ?

Prends ton cahier ! p. 7

Le jeu de l'Oie

Nous jouons

Règles

① Lance le dé.

② Lis et parle.

③ À toi !

④ À moi !

⑤ Bravo ! Tu as gagné !

Une classe en France

Je fabrique

Fabrique ta pochette de français !

Matériel :
- 1 grande feuille bleue
- 1 grande feuille blanche
- 1 petite feuille rouge
- des ciseaux
- de la colle
- 3 symboles de la France (p. 59, cahier)
- 1 étiquette (p. 61, cahier)

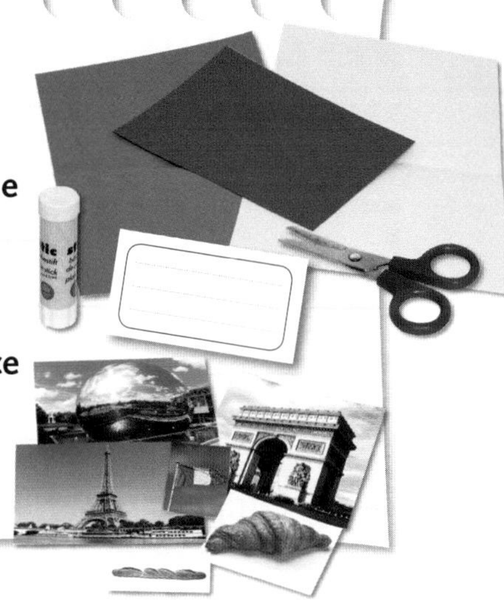

Regarde bien les photos et lis le mode d'emploi :

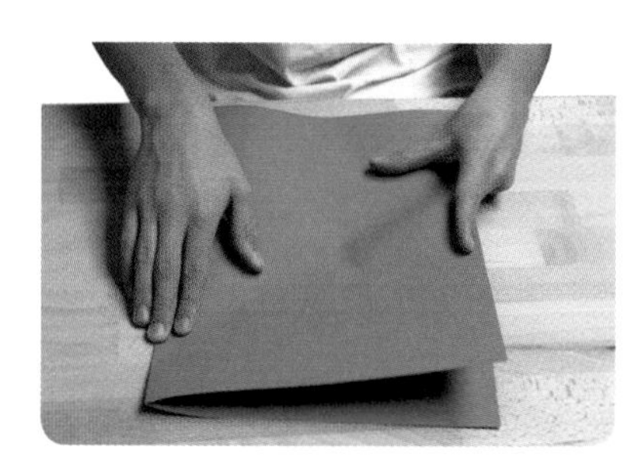

1. Plie la feuille bleue.

2. Plie la feuille blanche.

3. Colle la feuille blanche.

4. Plie la feuille rouge.

5. Coupe la feuille rouge.

6. Colle la feuille rouge.

7. Pour compléter et décorer ta pochette :

Prends ton cahier ! p. 10

BRAVO !
Mets tes affaires de français dans ta pochette et montre ta pochette aux copains !

Unité 2

Dans la cour

- Je dis mon âge.
- Je demande son âge à un copain.
- Je compte jusqu'à 12.
- Je dis les objets que j'ai.
- Je connais des jeux de la récré.
- Je demande à un copain de jouer avec moi.
- Je joue au jeu de la Récré.
- Nous fabriquons la boîte de jeux.
- J'utilise mon portfolio.
- Je m'entraîne au DELF Prim.

C'est la récré !

piste 14

① DJAMILA : – Salut ! Je m'appelle Djamila.
MAÉ : – Salut ! Moi, c'est Maé. Tu as quel âge ?
DJAMILA : – J'ai dix ans. Et toi ?
MAÉ : – Moi, j'ai neuf ans. Tu as des copains à l'école ?
DJAMILA : – Oui, j'ai deux copains : Martin et Wang.
MAÉ : – Tu joues à l'élastique ?
DJAMILA : – Oui ! Chouette !

piste 15

② MARTIN : – Noé, tu as quel âge, toi ?
NOÉ : – Moi, j'ai onze ans.
MARTIN : – Tu joues au foot avec moi ?
NOÉ : – Non, moi, je joue à cache-cache.
MARTIN : – Djamila, tu joues au foot avec moi ?
DJAMILA : – Non, moi je suis une fille ! Je joue à l'élastique avec Maé !
MARTIN : – Camille, tu joues au ballon avec moi ?
CAMILLE : – Oui ! Chouette !

1 Associe.

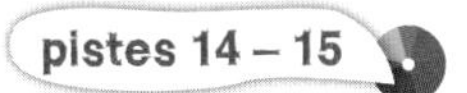

1. J'ai dix ans.
2. J'ai onze ans.
3. J'ai neuf ans.
4. J'ai deux copains.

b c

2 Dis comment il/elle s'appelle.

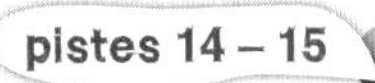

J'écoute et je parle

a 

b 

c 

d 

1. Je suis une fille, je joue à l'élastique.
2. Je suis un garçon, je joue au foot.
3. Je suis un garçon, je joue à cache-cache.

e 

1, 2, 3 Compte avec moi !

1, 2, 3 Compte avec moi

4, 5, 6 Bouge avec Brice

7, 8, 9 Danse comme Titeuf

10, 11, 12 Bouge, Bouge, Bouge !

Boîte à outils

– Tu as quel âge ?
– J'ai dix ans.

– J'ai un ballon.
– Elle a une gomme.

Les nombres de 0 à 12

0	1	2	3	4
Zéro	Un	Deux	Trois	Quatre

5	6	7	8
Cinq	Six	Sept	Huit

9	10	11	12
Neuf	Dix	Onze	Douze

À la récré, je joue...

aux billes.

au foot.

à la corde à sauter.

à cache-cache.

à l'élastique.

Grammaire

Avoir
J'**ai** un stylo.
Tu **as** onze ans.
Il **a** une trousse.
Elle **a** deux copains.

1 Demande à un(e) camarade : Je parle

2 Regarde et dis à un(e) camarade ce que tu as. Je parle

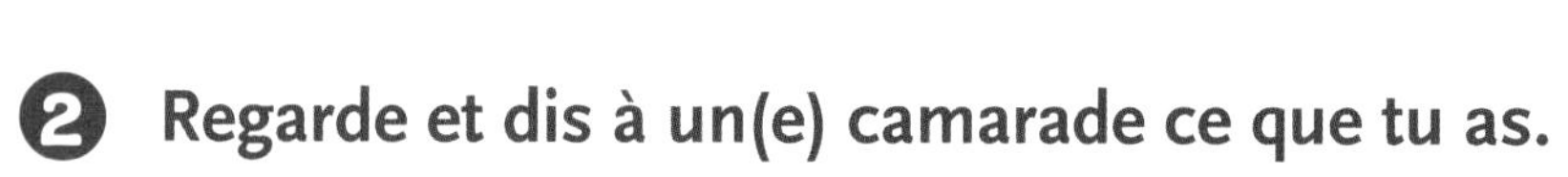

❶ Répète les phrases.

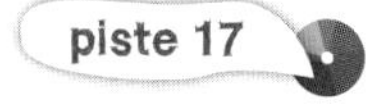

J'écoute et je parle

1. J'ai trois‿ans.
2. J'ai six‿ans.
3. J'ai huit‿ans.
4. J'ai quatre‿ans.
5. J'ai neuf‿ans.
6. J'ai si~~x~~ copains et hui~~t~~ copines.

❷ Répète les phrases.

J'écoute et je parle

1. J'ai cinq‿ans. J'ai cinq‿cahiers.
2. J'ai hui~~t~~ livres. J'ai huit‿ans.
3. J'ai di~~x~~ stylos. J'ai dix‿ans.
4. J'ai six‿ans. J'ai si~~x~~ cahiers.
5. J'ai neuf‿gommes. J'ai neuf‿ans.

Méli-mélodie

piste 19

Suzette a six ans.

J'ai six ans et six cahiers.

Prends ton cahier ! p. 15

Le jeu de la Récré

Nous jouons

Règles

1 Lance le dé et compte à haute voix.

2 Regarde et dis la bonne phrase.

3 Mange le joueur !

4 Oh non ! J'ai perdu !

5 Bravo ! Tu as gagné !

Des jeux du monde

les petits chevaux

les dominos

un awélé

les dames chinoises

les échecs

Je fabrique

Fabriquons une boîte de jeux !

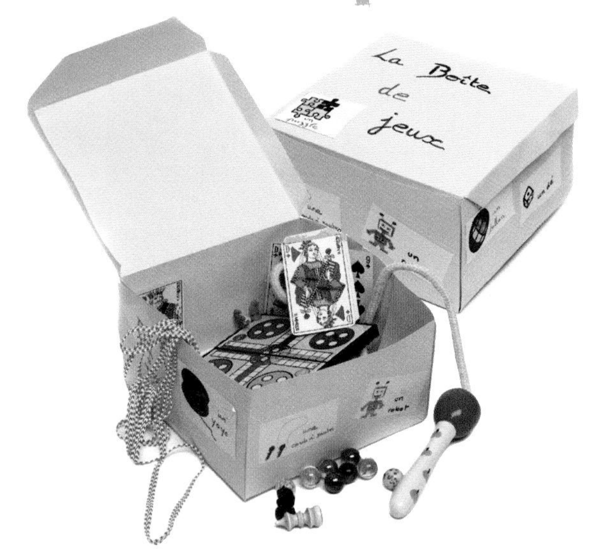

Matériel :
- du carton
- des feutres
- 1 crayon
- des ciseaux
- 1 gomme
- de la colle
- 1 règle
- 1 étiquette (p. 61, cahier)

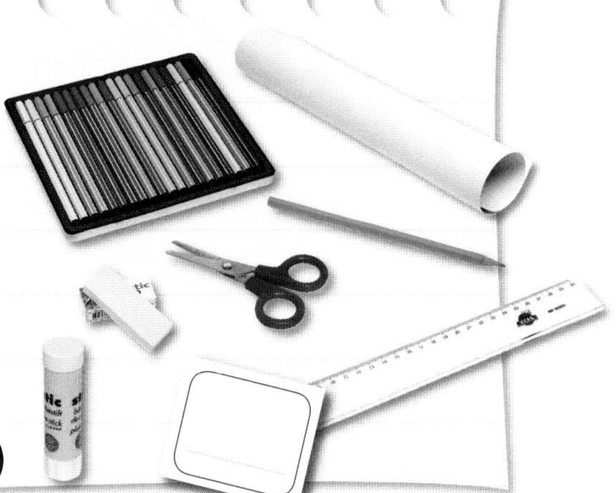

Regarde bien les photos et lis le mode d'emploi avec tes camarades :

1. Prenez un carton et regardez le modèle de la boîte de jeu.

Prends ton cahier ! p. 18

2. Dessinez le modèle en grand sur le carton.

3. Découpez le carton en suivant les traits.

4. Pliez les morceaux.

5. Collez les morceaux.

6. Décorez la boîte.

Prends ton cahier ! p. 19

BRAVO !
La boîte de jeu est prête !
Dans la boîte, on va mettre des jeux en français !

Unité 3

Pendant la semaine

- Je connais les jours de la semaine.
- Je connais des matières scolaires.
- Je comprends un menu.
- Je dis ce que j'aime et ce que je n'aime pas.
- Je demande à un copain ce qu'il aime et ce qu'il n'aime pas.
- Je joue à « Bon appétit ! ».
- Nous fabriquons l'emploi du temps de la classe.
- J'utilise mon portfolio.
- Je m'entraîne au DELF Prim.

Hum, c'est bon !

1. WANG : – Salut Maé !
MAÉ : – Salut ! Tu es nouveau ?
WANG : – Non, je suis le copain de Camille. Je m'appelle Wang.
MAÉ : – Regarde ! Qu'est-ce que tu aimes ?
WANG : – J'aime l'informatique. Et toi ?
MAÉ : – J'adore la musique et j'adore manger !

2. NOÉ : – Regarde ! Aujourd'hui, poisson et glace ! Chouette !
CAMILLE : – Moi, je n'aime pas le poisson. Beurk !
NOÉ : – Mmm ! C'est bon, le poisson !
CAMILLE : – Ah non ! C'est pas bon !
MAÉ : – Venez, j'ai faim ! Moi, j'adore la glace à la vanille ! C'est trop bon !
WANG : – Moi, je déteste les glaces !

1 Trouve la bonne réponse.

1. Wang aime les mathématiques.
2. Wang aime la musique.
3. Wang aime l'informatique.

2 Montre les bons dessins.

a

b

c

d

e

f

J'aime l'école

C'est **lundi** ! J'aime l'école, j'aime l'école.

Pas les maths, pas les dictées
mais la récré avec mes copains :
Noé, Camille et aussi Martin.

C'est **mardi** ! J'aime l'école, j'aime l'école.

Pas la géo, pas les exos
mais la cantine avec mes copains :
Camille, Djamila et aussi Martin.

C'est **jeudi** ! J'aime l'école, j'aime l'école.

Pas les leçons, pas les punitions
mais jouer avec mes copains :
Noé, Wang et aussi Martin.

C'est **vendredi** ! J'aime l'école, j'aime l'école.

Pas travailler, pas écouter
mais parler avec mes copains :
Djamila... et surtout Martin !

Boîte à outils

– Qu'est-ce que tu aimes ?
– J'aime la musique. – Je n'aime pas les maths.

La nourriture

la salade 
l'omelette 
la purée 
le yaourt 
la carotte 
le steak 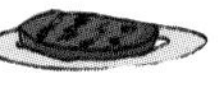
le riz 
le gâteau 
la tomate 
le poulet 
les frites 
la glace 
le poisson
la pomme 

Les matières à l'école

le français : la lecture, l'écriture

les arts plastiques 
la musique
les math(ématique)s
le sport 
l'informatique 

Les jours de la semaine

lundi
mardi
mercredi
jeudi
vendredi
samedi
dimanche

Grammaire

aimer ♥
adorer ♥ ♥ ♥
détester 

Aimer

J'aime le chocolat.
Tu aimes danser.
Il aime la pizza.
Elle aime l'écriture.

le, la, l', les

Ne/N'... pas

Je **n'**aime **pas** les pommes.
Il/Elle **n'**aime **pas** les glaces.

1 Lance le dé et demande à ton/ta voisin(e) : Je parle

1 Répète les phrases.

J'écoute et je parle

1. le yaourt, les yaourts
2. le cahier, les cahiers
3. la purée, les purées
4. l'omelette, les‿omelettes

2 Dis les mots au pluriel.

J'écoute et je parle

1. le poulet → *les* ...
2. le crayon
3. le sport
4. le poisson
5. le gâteau

3 Regarde bien et répète les mots.

je + ai → **j'ai**

le/la + a, e, i, o, u → **l'**

1. j'ai, j'aime, j'adore
2. l'élastique, l'omelette

Méli-mélodie

piste 31

Je m'appelle Juliette
et j'aime les omelettes.

Prends ton cahier ! p. 23

Bon appétit !

Règles

1. Lance le dé et compte à haute voix.

2. Dis la phrase.

3. Mange le joueur !

4. Tu as six ! Rejoue !

5. Bravo ! Tu as gagné !

Nous jouons

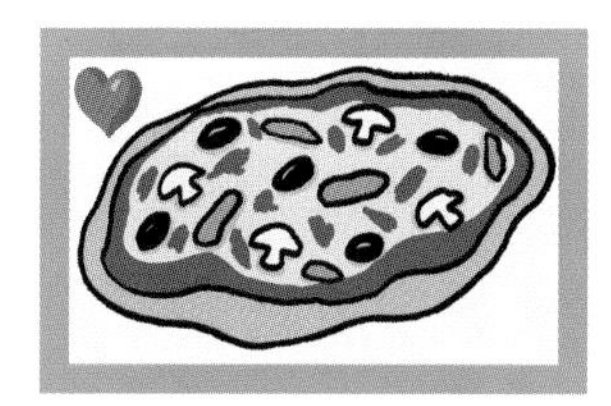

Je fabrique

Fabriquons l'emploi du temps de la classe !

Matériel :
- 1 grande feuille de carton
- des feuilles de carton
- des feutres
- des ciseaux
- de la pâte adhésive
- des stylos
- 1 gomme
- 1 règle

Regarde bien les photos et lis le mode d'emploi avec tes camarades :

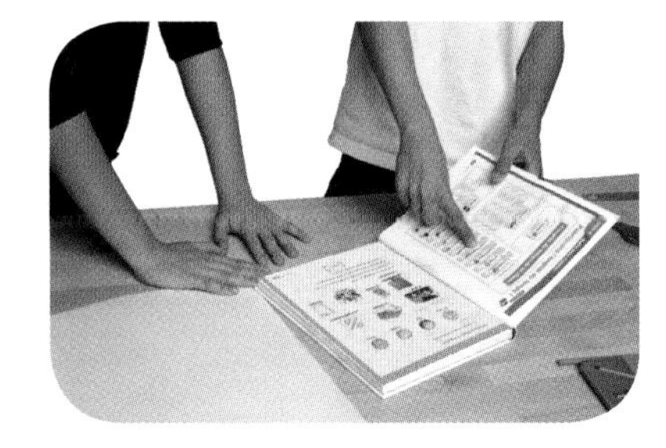

1. Regardez l'emploi du temps.

Prends ton cahier ! p. 26

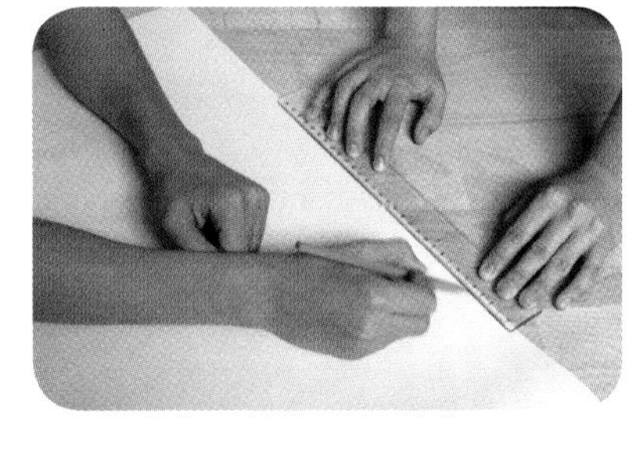

2. Prenez la feuille de carton et dessinez ensemble le tableau.

3. Écrivez ensemble les mots du tableau.

4. Découpez des cartons pour les étiquettes.

5. Préparez et coloriez ensemble les étiquettes.

BRAVO !
L'emploi du temps est prêt !
Choisissez et mettez les étiquettes du jour !

Unité 4

Avec ma famille

- Je dis et je demande qui c'est.
- Je présente ma famille.
- Je décris un copain.
- Je connais des animaux.
- Je parle de mes animaux.
- Je dis à qui c'est.
- Je joue au jeu des 7 familles.
- Nous fabriquons notre album photos (en papier ou numérique).
- J'utilise mon portfolio.
- Je m'entraîne au DELF Prim.

Voici ma famille !

MARTIN : – Salut Noé ! Ça va ?
NOÉ : – Salut Martin !
MARTIN : – Ça, c'est ma famille : papy, mamie, mon père, ma mère, mon petit frère et ma grande sœur Violette. Elle est très sympa ! Et ta famille, elle est comment ?
NOÉ : – Moi, j'ai deux grands frères, Alex et Philippe, et une petite sœur, Margaux.
MARTIN : – J'ai aussi un petit chien. Son nom c'est Einstein ! Il est adorable. Et toi, tu as un animal ?
NOÉ : – J'ai un chat, Pupuce. Il est très drôle. Il adore les poissons rouges.

❶ Montre la famille de Noé.

❷ Qui est-ce ?

1. Je suis une fille. Je suis petite. Je suis la sœur de Noé.

→ *C'est Margaux !*

Tu connais pas... ?

Miaou ! Miaou !
– Qui est-ce ? Qui est-ce ?
– Tu connais pas Polka ?
C'est mon chat. Il est très sympa !

Ouaf ! Ouaf !
– Qui est-ce ? Qui est-ce ?
– Tu connais pas Sushi ?
C'est mon chien. Il est très petit !

Qui est encore au téléphone ?
– Qui est-ce ? Qui est-ce ?
– Tu connais déjà mes parents !
Ils sont pas méchants...
Mais pas toujours marrants !

Boîte à outils

– Qui est-ce ? – C'est mon frère. Il est grand !

La famille

Grammaire

Être

Je **suis** une fille.
Tu **es** nouveau ?
Il **est** grand.
Elle **est** petite.
Ils/Elles **sont** drôles.

grand(e)
petit(e)
drôle

Les animaux

le chien 

la tortue 

le chat 

le poisson rouge 

le hamster 

mon, ma, mes
→ C'est à moi !

ton, ta, tes
→ C'est à toi !

son, sa, ses
→ C'est à lui !

1 Et toi ? Parle à ton/ta voisin(e).

Tu as un animal? Il est grand ?

2 Parle d'une personne de la famille de Martin et demande à ton/ta voisin(e) :

Qui est-ce ?

1 Répète les mots.

[ɔ̃] comme dans ballon	[ɑ̃] comme dans maman
un bonbon	Il est grand.
mon crayon	J'ai neuf ans.
C'est bon !	ma grand-mère
un poisson	Il chante.
onze	un croissant

2 Trouve un mot.

piste 39

1. [ɔ̃] → *poisson*

3 Dis une phrase avec un mot de l'exercice 1.

Je parle

un poisson → *Mon poisson est petit.*

Méli-mélodie

piste 40

Mon grand-père
et ma grand-mère sont grands.

Le jeu des 7 familles

Règles

une famille = le grand-père, la grand-mère, le père, la mère, le frère, la sœur

1. Regarde bien le dessin.

2. Trouve une famille.

3. Montre et nomme les personnes de la famille.

Nous jouons

4 Trouve la personne absente.

5 Tu as 6 personnes. Crie : « Famille ! »

6 Tu as 3 familles. Bravo ! Tu as gagné !

Je fabrique

Fabriquons un album photos (en papier ou numérique) !

Matériel :
- 1 ordinateur
- 1 clé USB
- 1 CD
- 1 album papier
- des photos
- des stylos
- des ciseaux
- des feutres
- de la colle

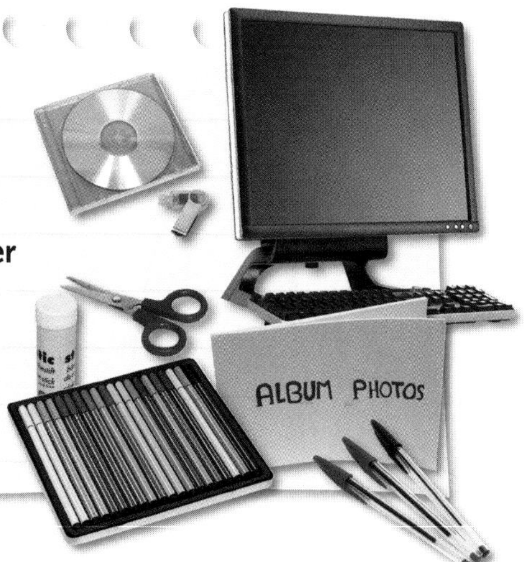

Regarde bien les photos et lis le mode d'emploi avec tes camarades :

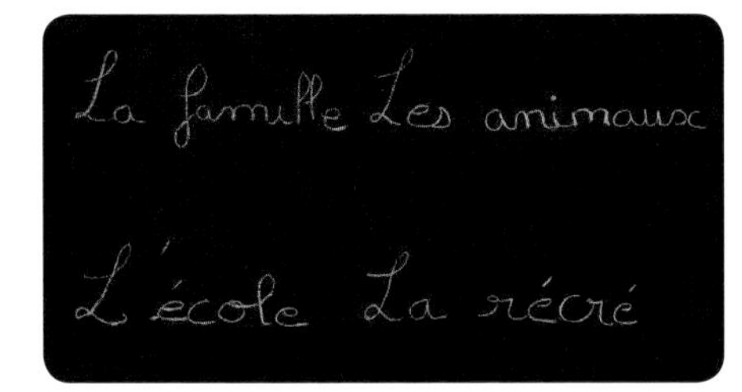

1. Choisissez le thème de votre album.

2. Regardez et sélectionnez les photos tous ensemble.

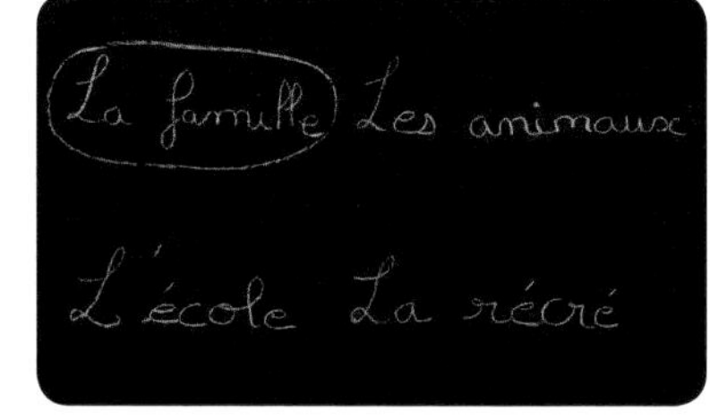

3. Choisissez le titre de l'album.

4. Collez / Insérez les photos dans l'album.

5. Préparez les légendes des photos.

Prends ton cahier ! p. 34

6. Écrivez / Insérez les légendes dans l'album.

BRAVO !
L'album photos est prêt.
Regardez tous ensemble votre album !

Unité 5

Dans la cuisine

- Je dis ce que je veux.
- Je connais le nom des repas.
- Je demande à un copain ce qu'il veut.
- Je réponds poliment.
- Je comprends et je sais donner un ordre.
- Je joue au « Bon petit déjeuner ! ».
- Nous faisons la cuisine.
- J'utilise mon portfolio.
- Je m'entraîne au DELF Prim.

Mange tes tartines !

piste 44

① La mère de Martin : – Martin, viens manger !
Martin : – J'arrive maman !
La mère : – Qu'est-ce que tu veux ?
Martin : – Je veux deux bols de chocolat, trois tartines, quatre bananes, cinq croissants, dix biscottes...
La mère : – Tu manges tout ça ? Tu as très faim ?
Martin : – Oui !

② Le père : – Léo, mange tes céréales, s'il te plaît !
Léo : – Non, papa ! Je n'aime pas les céréales.
Le père : – Bon, alors prends une tartine !
Léo : – Non, je n'aime pas les tartines.
Le père : – Alors qu'est-ce que tu veux ?
Léo : – Je veux un bol de riz, comme Wang ! Et des baguettes !

❶ Montre le ou les bon(s) dessin(s).

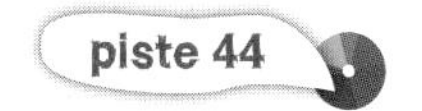

ⓐ

ⓑ

ⓒ

ⓓ

❷ Montre le ou les bon(s) dessin(s).

ⓐ

ⓑ

ⓒ

J'ai pas faim !

Viens manger !
Non merci, j'ai pas faim !

Mange tes tartines !
Non merci, j'ai pas faim !

Prends un croissant !
Non merci, j'ai pas faim ! J'ai pas faim !
J'ai pas faim !

Bon allez...

Boîte à outils

– Qu'est-ce que tu veux ?
– Je veux un bol de chocolat.

– Prends un croissant !
– Mange une banane, s'il te plaît !

Les repas

Un petit déjeuner équilibré

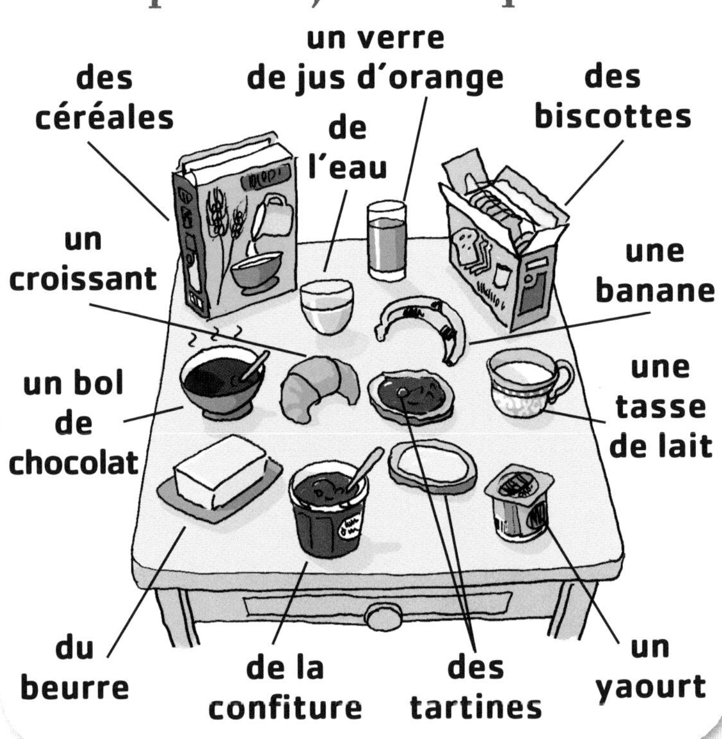

Grammaire

Vouloir

Je **veux** un jus d'orange.
Tu **veux** de l'eau ?
Il **veut** de la confiture.
Elle **veut** du beurre.

Mange ! Viens ! Prends !

Mange ta tartine !
Viens ici !
Prends un yaourt !

du,
de la,
de l',
des

1 Demande à un(e) camarade :

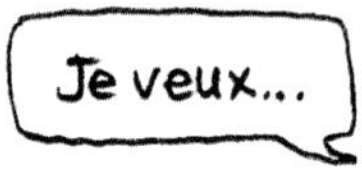

2 Joue au jeu du robot : donne un ordre à tes camarades et tes camarades miment l'action.

L'intonation (2) • Les consonnes finales

1 Lève la main pour un ordre.

1. Mange ta soupe !

2. Tu manges ta soupe.

2 Répète les phrases.

J'écoute et je parle

1. Il veu~~t~~ un croissan~~t~~.
2. Tu a~~s~~ troi~~s~~ frère~~s~~ sympa~~s~~.
3. Prend~~s~~ un peti~~t~~ bol de chocola~~t~~ !

Méli-mélodie

Je veux trois bols de lait avec des céréales.

Mange tes tartines à la confiture !

Prends ton cahier ! p. 39

Un bon petit déjeuner !

4

5

des œufs sur le plat

un pamplemousse

6

de la soupe

9

8

du fromage

7

Règles

1) Regarde la page.

2) Regarde tes cartes.

Prends ton cahier ! p. 63

3) Associe une carte à la bonne image et fais une phrase.

4) Pose tes cartes le plus vite possible !

5) Tu n'as plus de cartes. Bravo ! Tu as gagné !

Je fabrique

Fabriquons des roses des sables en chocolat !

La recette :

Regarde bien les photos et lis la recette avec tes camarades :

1. Mettez le chocolat et le beurre dans une casserole.

2. Faites fondre le chocolat.

3. Versez le chocolat sur les céréales.

4. Mélangez doucement avec une cuillère en bois.

5. Mettez une feuille d'aluminium sur le plat.

6. Faites des petits tas sur le plat avec une cuillère.

7. Mettez le plat au réfrigérateur pendant 20 minutes.

8. Préparez le menu de votre goûter équilibré.

Prends ton cahier ! p. 42

BRAVO !
Les roses des sables sont prêtes. Bon appétit !

Unité 6

Après l'école

- Je connais les pièces de la maison.
- Je dis ce que je fais après l'école.
- Je demande à un copain ce qu'il fait après l'école.
- Je sais dire qui a gagné ou perdu.
- Je compte jusqu'à 20.
- Je joue à « Chez Alice ».
- Nous fabriquons une maison idéale.
- J'utilise mon portfolio.
- Je m'entraîne au DELF Prim.

Qu'est-ce que tu fais ?

piste 51

1

CAMILLE : – Qu'est-ce que tu fais après l'école ?
MARTIN : – Je fais mes devoirs et je joue à la console. Et toi ?
CAMILLE : – Moi, je regarde la télé avec ma sœur.
MARTIN : – Tu as la télé dans ta chambre ?
CAMILLE : – Non, maman ne veut pas. Nous regardons la télé dans le salon.
MARTIN : – Tu viens chez moi ? On joue à la console ?
CAMILLE : – Oui, chouette !

2

CAMILLE : – J'ai gagné !
MARTIN : – Non, Camille, tu as perdu !
CAMILLE : – J'ai 19 points et toi, 15 !
MARTIN : – Non ! J'ai 20 points ! J'ai gagné ! Tu as perdu !
CAMILLE : – Tu n'es pas drôle, Martin !

❶ Montre le ou les bon(s) dessin(s).

❷ Associie.

piste 52

J'écoute et je parle

1. Tu as perdu !

2. J'ai gagné !

Ma maison

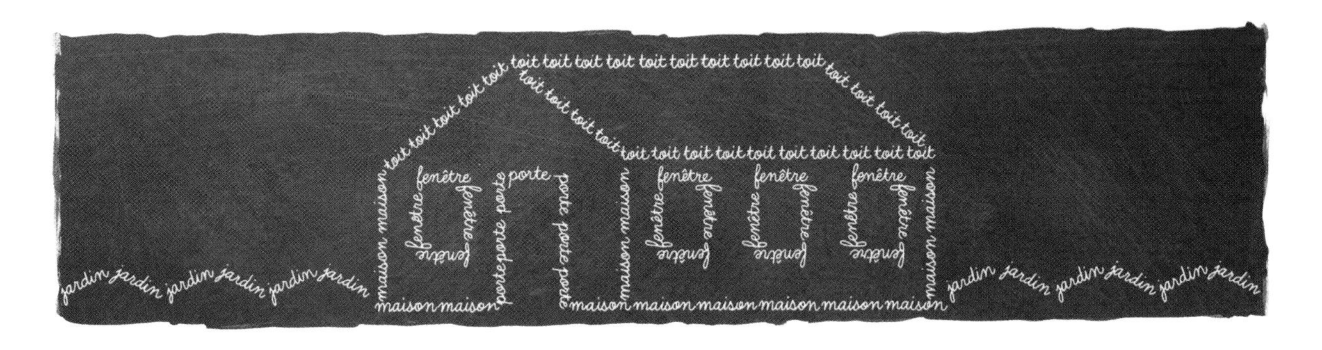

– Qu'est-ce que tu fais après l'école ?
– Je regarde la télé dans le salon.

La maison

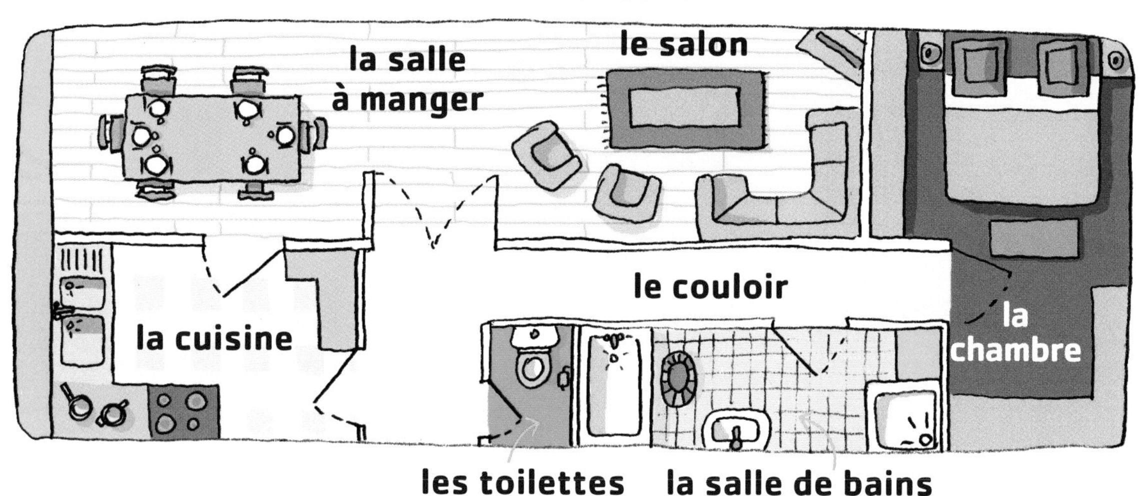

13	14	15	16	17	18	19	20
treize	quatorze	quinze	seize	dix-sept	dix-huit	dix-neuf	vingt

Après l'école,

je joue à la console.
je goûte dans la cuisine.
je fais mes devoirs.

Grammaire

Regarder

Je regard**e** les photos.
Tu regard**es** le plan.
Il/Elle regard**e** la télé.
Nous regard**ons** le plan.
Vous regard**ez** les photos.
Ils/Elles regard**ent** le plan.

aimer, jouer, écouter, parler, dessiner, chanter, déjeuner, goûter

dans le salon

on = nous
Martin et moi, on joue.
= Nous jouons.

1 **Demande à un(e) camarade :**

Qu'est-ce que tu fais après l'école ?

1 Répète les phrases.

piste 53 J'écoute et je parle

A. [ʃ] comme dans chocolat

1. Je joue à cache-cache avec Simon.
2. Chouette, c'est samedi !
3. Coche les phrases.
4. J'ai un chat et un chien.

B. [ʒ] comme dans jeudi

1. Julie mange son déjeuner.
2. Je veux un jus d'orange.
3. J'aime Jean.
4. Je joue à un jeu vidéo.

2 Trouve un mot.

piste 54 J'écoute et je parle

1. Trouve un tip. → *un bain*
2. Trouve un tip tip top. → *nous regardons*

Méli-mélodie

piste 55

J'aime jouer dans la salle à manger.

Chouette, Chantal chante une chanson !

Prends ton cahier ! p. 47

Chez Alice

Règles

1 Lance le dé et compte à haute voix.

2 Dis la phrase.

③ Tu passes ton tour !

④ Oh non ! J'ai perdu !

⑤ Bravo ! Tu as gagné !

Je fabrique

Fabriquons la maison idéale !

Matériel :
- des boîtes à chaussures
- des objets récupérés (boîte à œufs, bouchons, feuilles, tissus, cartons, petites bouteilles...)
- des feutres
- des ciseaux
- de la colle
- de la peinture et des pinceaux
- du scotch

Regarde bien les photos et lis le mode d'emploi avec tes camarades :

1. Regardez les maisons.

Prends ton cahier ! p. 51

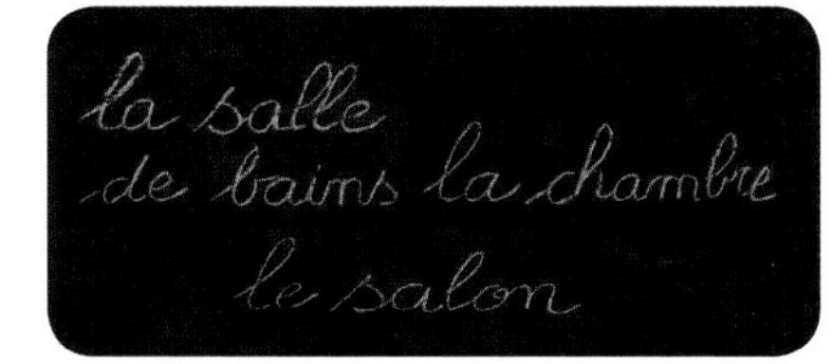

2. Choisissez tous ensemble les pièces de la maison idéale.

3. Choisissez une pièce par groupe.

4. Dessinez le plan de votre pièce.

Prends ton cahier ! p. 50

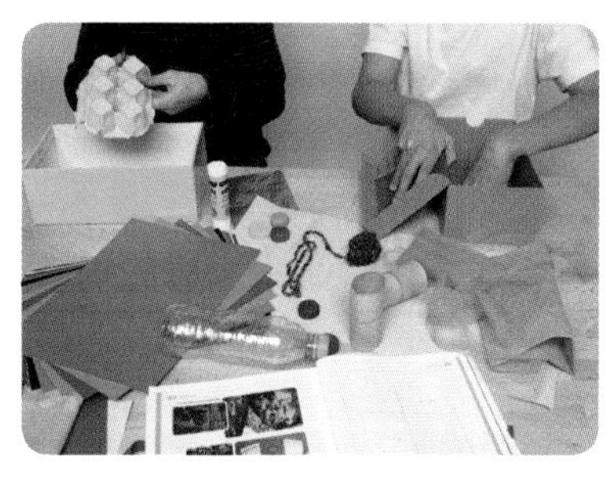

5. Prenez une boîte en carton et du matériel.

6. Préparez votre pièce.

BRAVO !
Votre pièce est prête.
Assemblez les pièces de la maison !

Transcriptions

Unité 1 p. 16

1 Montre la bonne couleur. piste 9

1. une gomme
2. un chocolat
3. un menu
4. une trousse
5. une guitare
6. un stylo
7. un cahier
8. une feuille

Unité 3 p. 33

2 Dis les mots au pluriel. piste 29

1. le poulet, les poulets
2. le crayon, les crayons
3. le sport, les sports
4. le poisson, les poissons
5. le gâteau, les gâteaux

Unité 4 p. 39 • p. 41

2 Qui est-ce ? piste 36

1. Je suis une fille. Je suis petite.
   Je suis la sœur de Noé.
2. Je suis une fille. Je suis sympa.
   Martin est mon frère.
3. Je suis petit. Je suis drôle.
   J'adore les poissons.

p. 41

2 Trouve un mot. piste 39

1. [ɔ̃]
2. [ɑ̃]
3. [ɑ̃]
4. [ɔ̃]
5. [ɑ̃]
6. [ɔ̃]

Unité 5 p. 49

2 Lève la main pour un ordre. piste 47

1. Mange ta soupe !
2. Tu manges ta soupe.
3. Tu viens chez moi samedi.
4. Écoute !
5. Au petit déjeuner, tu manges des céréales.
6. En classe, tu écoutes le professeur.
7. Samedi, viens chez moi !
8. Mange tes céréales !

Unité 6 p. 57

1 Répète les phrases. piste 53

A. [ʃ] comme dans chocolat

1. Je joue à cache-cache avec Simon.
2. Chouette, c'est samedi !
3. Coche les phrases.
4. J'ai un chat et un chien.

B. [ʒ] comme dans jeudi

1. Julie mange son déjeuner.
2. Je veux un jus d'orange.
3. J'aime Jean.
4. Je joue à un jeu vidéo.

2 Trouve un mot. piste 54

1. Trouve un tip. → un bain
2. Trouve un tip tip top. → nous regardons
3. Trouve un tip top.
4. Trouve un tip.
5. Trouve un tip top.
6. Trouve un tip tip top.

Les articles

	les indéfinis	les définis	les partitifs
masculin singulier	**un** crayon	**le** crayon, **l'**élastique	**du** thé, **de l'**ananas
féminin singulier	**une** gomme	**la** gomme, **l'**écriture	**de la** confiture, **de l'**omelette
pluriel	**des** feutres	**les** feutres	

Les adjectifs possessifs

	À moi	À toi	À lui
masculin singulier	**mon** frère	**ton** frère	**son** frère
féminin singulier	**ma** sœur	**ta** sœur	**sa** sœur
pluriel	**mes** parents	**tes** parents	**ses** parents

Les adjectifs

masculin : il est...	grand	**drôle**
féminin : elle est...	grand**e**	**drôle**

La négation

Oui	Non
J'**aime** le chocolat.	Je **n'**aime **pas** le chocolat.